La folle semaine de Clémentine

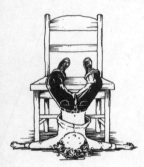

Sara Pennypacker
Illustrations de Marla Frazee

La folle semaine
de Clémentine

RAGEOT

Pour Bill, le père de Clémentine,
à tous points de vue. S. P.

Pour mon grand frère, Mark Frazee,
qui me trouve idiote. M. F.

Cet ouvrage a été imprimé sur un papier
issu de forêts gérées durablement,
de sources contrôlées.

Certifié PEFC
Ce produit est issu
de forêts gérées
durablement et de
sources contrôlées.
PEFC
10-31-2772   pefc-france.org

IMPRIM'VERT

Cet ouvrage a été publié aux États-Unis et au Canada
par Disney - Hyperion Books, une marque
du Disney Book Group, sous le titre : *Clementine*.

Texte © 2006, Sara Pennypacker.
Illustrations © 2006, Marla Frazee.

Cette traduction est publiée avec l'accord
de Disney - Hyperion Books, une marque
du Disney Book Group.

Traduction : Ariane Bataille.

Couverture : Marla Frazee.

ISBN : 978-2-7002-3813-6
ISSN : 1951-5758

© RAGEOT-ÉDITEUR, pour la version française – PARIS, 2012.
Loi n° 49-956 du 16-07-1949 sur les publications
destinées à la jeunesse.

LUNDI

Convoquée chez la directrice

Ma semaine n'a pas été géniale.

J'exagère, le lundi s'est plutôt bien passé, si on oublie le hamburger au goût bizarre du déjeuner et mon passage dans le bureau de la directrice à cause des cheveux de Margaret.

Les cheveux, ce n'était pas ma faute. D'ailleurs, je la trouve jolie sans ses cheveux, Margaret. Malheureusement, je n'ai pas eu le temps de m'expliquer : sa mère est venue la chercher à l'école et la directrice a dû aller l'accueillir dans le hall pour la calmer.

À ce moment-là le téléphone a sonné. On aurait pu me prévenir que je n'avais pas le droit de répondre au téléphone dans le bureau de la directrice. Moi je pensais rendre service…

Bon, d'accord, en réalité mon lundi n'a pas été si génial que ça.

C'est dommage car il avait bien commencé, avec deux signes favorables qui m'ont complètement trompée.

Premièrement, il y avait le nombre parfait de rondelles de banane dans mon bol de céréales, une pour chaque cuillerée.

Deuxièmement, au début de la classe, le maître a annoncé :

– Les élèves suivants sont dispensés d'écrire leur journal de bord et peuvent se rendre directement en salle d'arts plastiques pour travailler à leur projet « Vive le Futur ».

Coup de chance, je faisais partie des élèves suivants !

Au lieu de me creuser la tête à la recherche de phrases à écrire dans mon journal de bord, ce que je déteste, j'allais peindre et coller plein de trucs, ce que j'adore.

Margaret se trouvait déjà dans la salle d'arts plastiques quand je suis entrée. Dès que je me suis assise à côté d'elle, elle s'est jetée sur le masque Princesse du Futur qu'elle était en train d'enduire de colle et de paillettes et m'a lancé :

– Ne touche pas à mes affaires !

Margaret est en CM1, moi en CE2. Du coup, elle s'imagine que ça lui donne le droit de jouer à la chef.

Alors, comme toujours, j'ai demandé :

– Pourquoi ?

Et comme toujours, elle a répondu :

– Parce que c'est la règle.

– Pourquoi?

– Parce que tu n'as pas le droit de toucher à mes affaires.

À ce moment, j'ai tendu le doigt vers la fenêtre. Ce n'était pas vraiment malhonnête puisque je n'avais pas dit qu'il y avait quelque chose à voir.

Et pendant que Margaret tournait la tête pour regarder dehors, j'ai touché son masque, presque sans le faire exprès.

Bon, d'accord, je l'ai même touché deux fois.

Puis je me suis concentrée sur mon projet pour éviter d'entendre la professeur d'arts plastiques me reprocher : « Clémentine, tu n'es pas attentive! »

Mais je l'ai entendue quand même. Ce qui m'a paru terriblement injuste car, comme toujours, j'étais la seule à être attentive. La preuve, l'autre jour, à l'entrée de l'école, je suis la seule à avoir remarqué que la dame de la cantine était assise dans la voiture du concierge et qu'ils s'embrassaient. Encore et encore. Personne d'autre n'a vu cette scène dégoûtante parce que personne ne fait jamais attention à ce qui se passe dehors !

Et, au début du cours d'arts plastiques, je suis la seule à avoir remarqué que la prof avait sur son foulard une tache d'œuf qui ressemblait exactement à un pélican à condition de la regarder en clignant des yeux.

– Clémentine, tu n'es pas attentive ! a grondé la professeur d'arts plastiques.

Or j'étais justement très concentrée, comme toujours. La preuve, j'observais attentivement la chaise vide de Margaret.

Tout à l'heure, Margaret avait demandé la permission d'aller aux toilettes. Quand elle s'était levée, j'avais remarqué que sa bouche était tordue comme pour affirmer : « Non je ne pleurerai pas ».

Elle était partie depuis longtemps maintenant, même pour quelqu'un qui se savonne les doigts un par un. Alors j'ai levé le doigt.

– Est-ce que je peux aller aux toilettes ?

La prof a accepté.

Dans les toilettes, j'ai trouvé Margaret recroquevillée sous le lavabo, la tête entre les genoux.

– Margaret, tu es assise par terre ! lui ai-je signalé, stupéfaite. C'est sale.

Elle a soulevé une fesse pour me montrer qu'elle avait étalé sous elle une couche de serviettes en papier antibactérien sur le sol.

– N'empêche ! Qu'est-ce que tu as ?

Elle a enfoncé un peu plus la tête entre ses genoux et elle a tendu un doigt vers le lavabo. À côté d'une paire de ciseaux « À-ne-jamais-sortir-de-la-salle-d'arts-plastiques », j'ai aperçu une grosse mèche de cheveux lisses et bruns.

Ouh là là.

– Sors de là, Margaret, montre-moi.

Elle a secoué la tête.

– Non, je ne sortirai pas avant qu'ils aient repoussé.

– Comme tu voudras mais un microbe est en train d'escalader ta robe !

Elle a aussitôt jailli de sous le lavabo. Quand elle s'est vue dans le miroir, elle a éclaté en sanglots.

– En classe je me suis mis de la colle dans les cheveux, m'a-t-elle expliqué. J'ai voulu l'enlever et…

Margaret a les cheveux longs jusqu'au milieu du dos. À présent, il était difficile de ne pas remarquer qu'il lui en manquait une large mèche au-dessus de l'oreille gauche.

– On pourrait peut-être essayer d'égaliser l'autre côté, au-dessus de ton oreille droite, ai-je suggéré.

Elle s'est essuyé les yeux en hochant la tête et m'a tendu les ciseaux.

Je lui ai coupé quelques mèches supplémentaires. On s'est regardées dans le
miroir puis, pour lui remonter le moral,
j'ai déclaré :
— On dirait une frange.
— Sauf qu'une frange se porte sur le
front, pas sur les côtés, m'a-t-elle rappelé.

Elle a poussé un profond soupir, repris les ciseaux et coupé les cheveux sur son front.

À présent, ils étaient très courts devant et très longs derrière.

– Pas terrible, a-t-elle constaté en examinant le résultat dans le miroir.

– Non, pas terrible, ai-je approuvé.

On a contemplé sa coiffure pas terrible un long moment sans dire un mot, ce qui est très difficile pour moi. Puis sa lèvre inférieure a recommencé à trembler et ses yeux se sont de nouveau remplis de grosses larmes. Elle m'a tendu les ciseaux, a fermé les yeux et m'a dit :

– Vas-y.

– Tout ? ai-je demandé.

– Tout.

Je me suis bien appliquée. Ce qui n'est pas facile avec des ciseaux à papier, je vous assure. Au moment où je coupais la dernière mèche, la prof d'arts plastiques est entrée dans les toilettes.

– Ah, vous êtes là toutes les deux, je vous cherchais partout. Clémentine ! Qu'est-ce que tu fabriques ?

Margaret est devenue toute blanche, la prof est devenue toute rouge, et personne n'a su quoi faire, excepté la solution classique : m'envoyer chez la directrice, Mme Pain.

Pendant que j'attendais dans son bureau, j'ai dessiné Margaret avec les cheveux courts. Elle était jolie, aussi jolie qu'un pissenlit. Voici son portrait :

S'il existait une classe spéciale pour les élèves doués en dessin, j'en ferais forcément partie. Mais il n'y en a pas, ce que je trouve injuste – la classe spéciale existe seulement en maths et en anglais. J'avoue que l'anglais, ce n'est pas mon fort. En revanche, cette année, on m'a mise dans la classe avancée en maths. Même si je ne vois pas à quoi ça m'avance.

J'en ai parlé à Mme Pain quand elle est revenue dans son bureau, après avoir calmé la mère de Margaret.

– Ça m'avance à quoi d'être dans une classe avancée ? ai-je demandé le plus poliment possible.

Mme Pain a levé les yeux vers le plafond comme si elle craignait que quelque chose nous tombe sur la tête. Des serpents prêts à nous mordre, peut-être. Quand j'étais petite, j'avais une peur bleue des serpents qui vivent dans les plafonds. Aujourd'hui, je n'ai plus peur de rien.

Bon, d'accord, j'ai horreur des trucs pointus. Mais c'est tout. Ah non, j'ai aussi peur des boomerangs.

– Clémentine, je réclame toute ton attention, a commencé Mme Pain. Nous sommes ici pour parler des cheveux de Margaret. Mais d'abord, peux-tu m'expliquer ce que tu fabriques allongée par terre?

– Je vous aide à surveiller les serpents qui vivent dans le plafond.

– Des serpents dans le plafond? Qu'est-ce que tu racontes?

Vous voyez? Quand je vous disais que je remarque tout et que les autres, eux, ne remarquent rien…

– Maintenant écoute-moi, Clémentine, a repris Mme Pain avec sa voix Je-veux-bien-faire-preuve-de-patience-mais-ça-devient-de-plus-en-plus-difficile. Explique-moi pourquoi tu as coupé les cheveux de Margaret.

– Pour l'aider, ai-je répondu.

Et c'est à ce moment-là que j'ai dit à la directrice que je l'avais aidée elle aussi alors qu'elle discutait avec la mère de Margaret dans le hall de l'école.

– Pendant votre absence, le téléphone a sonné et j'ai répondu. J'ai commandé quelques nouveaux animaux pour l'école et j'ai prévenu le professeur de gymnastique qu'on ne jouerait plus à la balle au prisonnier. Je vous ai fixé deux rendez-vous. Le téléphone ne fonctionne plus, je crois qu'il est cassé. Mais je vous ai quand même aidée un peu.

Je le croyais sincèrement.

Vu la tête de Mme Pain, elle ne semblait pas de mon avis.

Je me demande où la directrice a appris à faire de telles grimaces.

LUNDI

Une séance de coloriage

Quand je suis rentrée de l'école,
Margaret m'attendait dans le hall de
notre immeuble. Je lui ai montré son
portrait. Elle a poussé un grand cri :
— AAAAHHH !!! Je ressemble à un
pissenlit !

La preuve que je suis une véritable
artiste : tout le monde reconnaît toujours
ce que je dessine.

– Les pissenlits sont de très jolies fleurs, ai-je dit.

Je l'ai poussée dans l'ascenseur qui est tapissé de miroirs pour qu'elle s'admire. Elle a fait la grimace.

– Mais je ne suis pas une fleur, je suis une petite fille ! En plus, les pissenlits sont jaunes, pas marron. J'ai l'air d'un pissenlit fané.

Brusquement, son visage s'est éclairé.

– Et si je devenais blonde ?

Elle a jeté un regard plein d'espoir à mes cheveux et ajouté :

– Ou rousse, comme toi.

Pour la première fois de la journée, elle avait l'air contente. Aussitôt, je lui ai proposé :

– Je vais arranger ça, si tu veux ! Je peux teindre tes cheveux en roux, comme les miens.

– Comment ?

J'étais si contente de voir Margaret sourire que je n'avais pas pensé à ce détail. Mais une idée extraordinairement fabuleuse a surgi dans mon cerveau. Il faut dire que j'ai de la chance : mes idées extraordinairement fabuleuses surgissent sans que j'aie besoin de réfléchir.

– Pour son travail, ma mère utilise des feutres spéciaux. On peut colorier n'importe quoi avec, et la couleur ne part pas. Un jour, Épinard en a piqué un pour dessiner sur les murs. Eh bien, mes parents n'ont pas pu effacer ses gribouillages. Ils ont été obligés de repeindre la pièce. Parce que ce sont des marqueurs indélébiles.

Bon, d'accord, mon frère ne s'appelle pas Épinard. Seulement, je trouve injuste qu'on m'ait donné un nom de fruit et pas à lui. Il y a pire que les noms de fruits, ce sont les noms de légumes. Il en aurait mérité un. Voilà pourquoi j'en ai toute une collection en réserve rien que pour lui.

— Épinard a dessiné sur les murs? s'est étonnée Margaret. Lui, le facile?

Je l'ai regardée du coin de l'œil.

— Comment ça, le facile?

— C'est ce que dit ma mère quand elle parle de lui. À son avis, tes parents ont eu de la chance après toi d'avoir un enfant facile. Dans ma famille, c'est pareil, sauf que c'est moi la facile. Mon frère aîné, c'est le difficile. Il paraît que, quand des parents ont deux enfants, il y en a toujours un facile et un difficile. Ça doit être une règle.

— Ah, oui, je sais.

Ce n'était pas vrai, je n'en savais rien.

— Et ces feutres, alors? a demandé Margaret. Tu vas les chercher?

— D'accord.

Si Épinard le Facile savait s'en servir, Clémentine la Difficile devait en être capable aussi. J'ai appuyé sur le bouton du sous-sol.

Arrivée dans l'appartement, je me suis précipitée dans la cuisine. J'ai escaladé le plan de travail et attrapé la boîte de marqueurs, tout en haut du placard où ma mère la cache pour éviter que je m'en serve. Avant de repartir, j'ai crié, histoire qu'elle ne s'inquiète pas :

– C'est moi, m'man ! Tout s'est très bien passé à l'école, j'ai été super attentive, et maintenant je vais jouer chez Margaret parce que nous sommes très amies. Salut.

Puis j'ai rejoint Margaret en quatrième vitesse dans l'ascenseur. Elle a examiné la boîte et choisi le marqueur « Coucher de soleil flamboyant » dont elle a ôté le capuchon avant de le placer à côté de mes cheveux pour vérifier qu'il avait la même couleur.

– Parfait. On va chez moi.

Il y avait un autre détail auquel je n'avais pas pensé.

— Ta mère est toujours fâchée ? ai-je demandé.

— Oui. Mais elle est repartie travailler après avoir avalé trois cachets d'aspirine. Il n'y a que mon frère à la maison.

On est montées en ascenseur jusqu'à l'appartement de Margaret, même si, pour un tas de raisons, sa chambre ne me plaît pas du tout.

D'abord, je ne l'aime pas à cause de son chat, Mascara. Mascara crache sur tout le monde, sauf sur Margaret, et se cache toujours sous son lit. Parfois, j'aperçois un bout de patte ou de queue qui dépasse, et ça me donne le cafard parce que je pense à ma chatte, Polka, qui est morte.

L'année dernière, Polka a accouché de trois chatons dans le tiroir de ma commode. Heureusement que je le laisse toujours ouvert ! Mes parents m'ont permis de choisir leurs noms. Comme je sais que les noms les plus merveilleux du monde sont imprimés sur les étiquettes des produits qu'on range dans les salles de bains, j'ai emporté les chatons dans la nôtre et j'ai regardé autour de moi jusqu'à ce que je trouve ceux qui leur allaient bien.

Fluor et Laxatif sont partis chez des gens qui ont répondu à l'annonce que papa a publiée dans le journal : « Chatons gratuits, dépêchez-vous ! » À mon avis, c'était injuste pour Polka de donner ses chatons à des inconnus. Mascara a eu plus de chance, car la mère de Margaret a déclaré :

– D'accord, Margaret, tu peux adopter un petit chat à condition de t'en occuper toi-même.

Formidable ! Au moins, Mascara vivrait chez quelqu'un que Polka connaissait.

Malheureusement, Polka est morte peu de temps après. Et maintenant, Margaret a un chat, pas moi.

Mais si je n'aime pas la chambre de Margaret, c'est surtout parce qu'elle me donne des boutons.

Elle me donne des boutons parce qu'elle ressemble à une photo de magazine. Chaque chose y est rangée exactement à sa place. Rien n'est cassé et pas un seul grain de poussière ne traîne. En fait, Margaret ressemble aussi à une photo de magazine.

Ses cheveux sont toujours bien peignés
– enfin, ils l'étaient –, ses vêtements sont
toujours assortis et elle dort sûrement
dans sa baignoire parce qu'ils ne sont
jamais tachés.

J'aime bien Margaret, mais ce n'est pas
toujours facile d'être sa meilleure amie.

Devant la porte de sa chambre, elle
m'a prévenue :

– N'oublie pas de respecter la règle !
Tu ne touches à rien !

Pendant qu'elle cherchait Mascara sous le lit, j'ai touché sa lampe, presque sans le faire exprès. Elle est en porcelaine et représente un caniche sous un parapluie. Margaret dit « une ombrelle » pour faire sa crâneuse. Elle doit avoir des yeux derrière la tête car elle s'est relevée brusquement, mais j'ai été plus rapide qu'elle, j'ai eu le temps de glisser les mains dans mes poches en lançant :

– Alors, on commence ta teinture ?

Voilà qui s'appelle « Changer de Sujet ».

Ce n'est pas facile de teindre des cheveux avec un marqueur, je vous assure. Mais j'ai réussi. J'ai coloré toutes les mèches de Margaret en « Coucher de soleil flamboyant ». À ce moment, une autre idée complètement géniale a jailli dans mon cerveau, que j'ai aussitôt mise en application : j'ai dessiné des boucles de la même couleur sur son front et sa nuque pour que sa coiffure ressemble à la mienne.

C'était magnifique. On aurait dit un tatouage géant représentant des asticots entrelacés. Quand je serai grande, j'aurai des centaines de tatouages.

Margaret a observé son reflet dans le miroir, puis mes cheveux, puis de nouveau son reflet avant de déclarer :

– C'est parfait, Clémentine.

Ensuite, elle m'a annoncé qu'on allait lui mettre des bagues aux dents.

– Un appareil, tu veux dire.

– Non. Des bagues. Des bagues spéciales. Des bijoux.

– Oh oui, je vois.

Bon, d'accord, je ne voyais pas. Alors je suis rentrée chez moi.

Le soir, j'essayais de m'endormir en évitant de penser à des trucs pointus, la chose la plus difficile au monde, quand j'ai entendu le téléphone sonner.

Mon père a décroché.

– Bonsoir, Susan.

Susan, c'est la mère de Margaret.

Papa est resté silencieux un long moment avant d'intervenir.

– Écoutez, Susan, essayons d'envisager la situation calmement.

Il s'est tu plusieurs minutes, puis il a dit :

— Je suis désolé.

Il l'a répété sept fois dans la conversation – deux fois de plus que le jour où il a fait remarquer à maman qu'elle était un peu serrée dans sa salopette.

Après, il est entré dans la chambre de mon petit frère Brocoli que maman était en train de coucher, pour lui souhaiter une bonne nuit. Ensuite, mes parents se sont mis à chuchoter dans le couloir devant ma porte. Ils étaient probablement en train de se dire que Brocoli le Facile leur posait moins de problèmes que Clémentine la Difficile.

J'ai pensé que c'était le moment idéal pour faire semblant de dormir.

Finalement, mon père a déclaré :

— À mon avis, Clémentine essayait simplement d'aider Margaret. Tu sais bien que Margaret rêve d'avoir des cheveux roux elle aussi.

Jamais je n'avais entendu une histoire aussi abracadabrante. Margaret n'a pas besoin de changer la couleur de ses cheveux, elle est parfaite ! Mais je ne pouvais pas le dire à papa puisque, quand on fait semblant de dormir, on n'est pas censé parler.

MARDI

Une lettre criminelle

Je préfère ne pas penser à ce qui s'est passé mardi, ça me rend furieuse. En rentrant de l'école, j'ai crié :

– Maman ! Margaret a apporté un mot de sa mère pour le maître. Tu sais ce qu'elle avait écrit ? « Veillez à ne pas laisser ma fille seule avec Clémentine » !

– C'est parce qu'elle est encore en colère, a répondu maman. À sa place, je le serais aussi.

Et elle m'a permis d'ajouter une cuillère de confiture de raisin dans mon verre de lait pour me consoler.

Quand mon père est arrivé, je devais faire une drôle de tête parce qu'il m'a tendu la clé de l'ascenseur de service. Papa est le gardien de notre immeuble.

D'après lui, ça signifie que tous ceux qui vivent à notre adresse, y compris les pigeons, sont ses patrons. Mais comme c'est lui qui possède toutes les clés, je crois que c'est plutôt lui le patron. Et il sait que, quand je suis de mauvaise humeur, il n'y a rien de tel qu'un tour en ascenseur de service pour me calmer.

– Quatre allers-retours, Clém, pas plus. Au fait, des peintres sont en train de travailler dans le couloir du septième étage. S'ils ont besoin d'utiliser l'ascenseur, tu leur laisses.

Je suis montée directement au septième pour voir s'ils avaient besoin d'aide. On ne sait jamais.

Et devinez quoi ! Ils étaient trois en train de peindre le plafond perchés... sur des échasses ! Je n'invente rien ! C'est beaucoup plus amusant que de monter sur un escabeau, non ?

– Vous voulez un coup de main ? ai-je proposé. Je peux mettre des échasses.

Ils ont répondu très poliment :
— Non, merci, petite, on a presque fini.
Pourtant je voyais bien qu'il leur restait
beaucoup de travail.

J'ai fait trois allers-retours supplémentaires dans l'ascenseur de service pour m'occuper avant de rentrer chez moi. Quand j'ai ouvert la porte, mes parents discutaient du mot que la mère de Margaret avait écrit au maître.

– Tu te rends compte ? disait maman. Comme si notre fille était une vulgaire criminelle !

Papa a grommelé, ironique :

– Quelle insulte intolérable. Clémentine n'a pourtant rien de banal, au contraire c'est une petite fille originale.

– Ce n'est pas drôle, a protesté maman.

– Oh, si. Un peu.

– Bon, d'accord, un peu. Mais qu'est-ce qu'on va faire ?

J'ai vite refermé la porte et je suis allée m'asseoir dans le hall de l'immeuble pour ne pas entendre la réponse de papa, au cas où ce serait quelque chose du style :

– On n'a qu'à échanger Clémentine la Difficile contre une enfant plus facile.

J'ai attendu d'avoir trouvé assez de courage pour monter au cinquième étage, demander pardon à la mère de Margaret et la prier d'écrire un nouveau mot qui affirmerait : « Je ne pense pas que Clémentine soit une vulgaire criminelle. »

Une fois prête, je suis montée à pied car je n'avais aucune envie de tomber sur la vieille Mme Jacobi qui sort de chez elle dès qu'elle entend la porte de l'ascenseur s'ouvrir. Chaque fois que je la croise, elle me tend un billet de cinq dollars et elle me demande :

– Tu veux bien courir à l'épicerie m'acheter un paquet de Cheerios, ma chérie ?

Je n'aime pas du tout aller acheter des céréales Cheerios à Mme Jacobi, parce qu'après il faut que je rapporte le paquet chez elle, au dernier étage, et que je lui fasse la conversation pendant qu'elle compte sa monnaie pour me donner cinquante cents.

Mais je suis obligée d'accepter car :

A) elle doit avoir quatre cents ans et je suis une fille bien élevée ;

B) j'ai besoin d'argent pour m'acheter un gorille et je parie qu'ils coûtent très cher, et même encore plus que ça.

J'ai donc monté soixante marches – cinq fois douze égale soixante marches – et j'ai frappé à la porte de Margaret.

Sa mère est venue ouvrir. Elle m'a dévisagée sans un mot. On aurait cru une photo de magazine représentant une mère modèle dans son appartement modèle. J'ai dit bonjour et là, horreur ! Bien que je ne me sois jamais entraînée avant, ma voix était exactement celle d'une vulgaire criminelle.

– Tu ne peux pas jouer avec Margaret aujourd'hui, Clémentine, a déclaré sa mère. Elle passe l'après-midi dans sa chambre. À Réfléchir Aux Conséquences De Ses Actes. Ce que tu devrais faire, toi aussi.

Bon, d'accord, elle n'a pas prononcé cette dernière phrase. Mais elle l'a pensée si fort que je l'ai entendue.

Derrière elle, Mitchell, le frère de Margaret, a passé la tête par la porte de la cuisine. Il a attrapé ses cheveux d'une main en faisant une grimace. Je le croyais plus intelligent que ça, surtout qu'il est au collège, mais j'ai quand même éclaté de rire.

Je ne pense pas qu'on devrait traiter de difficile un enfant capable de faire rire les autres.

– Cela n'a rien de drôle, Clémentine, a grondé la mère de Margaret.

Je ne lui ai pas expliqué pourquoi je riais, je ne lui ai pas demandé pardon et je ne l'ai pas priée d'écrire un autre mot au maître, de peur que ma voix soit toujours celle d'une vulgaire criminelle. Je me suis juste sauvée.

Comme je n'avais pas envie de rentrer directement chez moi, j'ai pris l'ascenseur en espérant croiser Mme Jacobi.

Pour une fois, elle n'est pas sortie de chez elle en entendant la cabine s'ouvrir, alors je suis retournée chez moi.

Quand je suis entrée dans notre appartement, ma mère était en train de travailler, assise à sa table à dessin dans le salon. J'ai trouvé ça vraiment bizarre. Soudain, j'ai compris ce qui clochait. On ne voit jamais de table à dessin dans les salons photographiés dans les magazines.

J'ai claqué la porte d'entrée et lancé :

– La mère de Margaret porte toujours des robes.

– Elle travaille dans une banque, a répliqué maman sans cesser de dessiner. Le règlement l'exige peut-être.

– Quand même.

– Je suis une artiste, Clémentine. Je veux me sentir à l'aise quand je travaille. Comme je fais souvent tomber de la peinture sur mes vêtements, je suis obligée de me mettre en salopette ou en jean. Tu le sais bien, non ?

– Oui. Mais quand même.

Elle a posé son crayon et levé les yeux.

– Clémentine ? Est-ce que, parfois, tu préférerais avoir une mère qui travaille dans une banque et qui porte des robes ?

Je me suis pincé les lèvres pour ne pas répondre : « Oui, parfois, peut-être », avant de regarder très vite par la fenêtre et l'empêcher de lire dans mes yeux ce que je pensais.

Alors, maman s'est levée et elle s'est plantée à côté de moi devant la fenêtre.

Notre appartement est au sous-sol, à moitié enterré. Du coup, nos fenêtres s'ouvrent à la hauteur du trottoir. On est restées longtemps immobiles, maman et moi, en faisant semblant de nous intéresser aux pieds qui défilaient devant nos yeux.

Moi, en fait, j'essayais de l'imaginer en robe. Elle aussi, je crois, parce que, tout d'un coup, on s'est jeté un regard en coin et on a été prises d'une vraie crise de fou rire.

Finalement, elle a dit en s'essuyant les yeux :

– Tu crois vraiment que je serais si drôle que ça avec une robe ?

– Oui.

Alors j'ai su que c'était le moment idéal pour lui confier mon secret :

– Quand je serai grande, je crois que je serai une artiste.

Et vous savez ce qu'elle a répondu ?

– Tu en es déjà une, Clémentine !
Tu choisiras peut-être un autre métier
– celui qui te plaira – mais tu resteras
toujours une artiste.

Soudain, notre salon m'a paru magnifique avec sa table à dessin et la salopette
de maman couverte de taches de peinture. J'ai senti mes doigts me démanger.
Il fallait que je dessine. Alors… j'ai enfilé
ma veste et je suis partie dans le parc à la
recherche d'un sujet !

D'après mon père, j'ai du talent pour remarquer les choses intéressantes. Il dit même que si c'était un sport olympique, j'aurais déjà gagné un collier de médailles d'or. Il y voit un Très Bon Signe Pour Mon Avenir. Il affirme que je pourrais aussi devenir une excellente détective, si j'en ai envie évidemment, mais que ce talent me sera utile dans n'importe quel métier.

D'après ma mère, je pourrais devenir une excellente dessinatrice ou un excellent écrivain.

L'année dernière, une femme écrivain est venue à l'école. « Soyez attentifs ! » nous a-t-elle conseillé. Contrairement au maître, elle voulait dire qu'il fallait être attentif à TOUT ce qui se passe autour de nous et nous en inspirer pour écrire. Puis elle m'a regardée dans les yeux et m'a recommandé de noter les choses intéressantes que je remarquais dans un carnet pour ne pas les oublier.

Donc, même si je ne deviens pas écrivain – c'est trop énervant de rester assise longtemps sans bouger – je note les choses que je trouve intéressantes. Et je les dessine.

Dans le parc, j'ai immédiatement repéré un truc génial : une dame mangeait des lentilles… avec une brosse à dents ! Alors qu'elle utilisait une fourchette pour manger sa salade !

Je lui ai demandé si je pouvais dessiner sa brosse à dents couverte de lentilles.

– Bien sûr, a-t-elle répondu.

La voici :

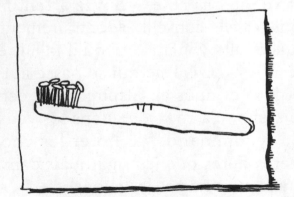

Dès que je suis rentrée à la maison, j'ai noté mes observations dans mon carnet et j'ai demandé à maman si on pouvait manger des lentilles au dîner.

– Mais tu n'aimes pas ça, Clémentine !

– C'est parce que je ne savais pas comment les manger correctement avant.

Maman nous a donc préparé des lentilles que j'ai mangées avec ma brosse à dents. Vous savez quoi ? Ça a marché. Les lentilles se coinçaient dans les poils de la brosse à dents au lieu de glisser sur la fourchette. J'en ai englouti des centaines.

Malheureusement, je déteste toujours les lentilles.

MERCREDI

Allergique à la position assise

Mercredi, j'ai réveillé ma mère en lui annonçant :

— Je ne peux pas aller à l'école, aujourd'hui. J'ai les orteils crevassés.

J'ai posé un pied sur son oreiller pour qu'elle puisse le voir sans se lever. C'est ce que j'appelle Être Prévenante.

Sans même ouvrir un œil pour vérifier si c'était vrai, elle a dit :

— N'importe quoi.

J'ai insisté :

— Ce n'est pas tout. J'ai aussi une crise d'inflammation des iris.

— N'importe quoi, a-t-elle répété, toujours sans ouvrir les yeux.

— En fait, je crois que j'ai de l'arthrite. L'autre jour, madame Jacobi m'a postillonné au nez, j'ai dû attraper sa maladie.

– Oh, s'il te plaît, Clémentine.

Cette fois, elle a ouvert un œil. Elle m'a regardée fixement puis elle a fait exactement le même son étouffé que Polka quand elle avait une boule de poils coincée dans la gorge.

J'ai attrapé la couette pour me cacher, mais maman l'a tirée à elle. Elle a pris ma tête entre ses mains et l'a tournée dans tous les sens, comme si je n'étais pas à l'intérieur. Enfin elle s'est exclamée :

– Tu as coupé tes cheveux ! Tu as coupé tes magnifiques cheveux ! Mais qu'est-ce qui t'a pris, Clémentine ?

– Je ne voulais pas que Margaret se sente trop seule avec ses cheveux courts ! ai-je expliqué. Seulement, j'ai oublié qu'elle n'allait pas à l'école aujourd'hui. Elle a rendez-vous chez l'orthodontiste. Il va lui mettre des bagues aux dents.

Maman a gémi et refermé les yeux. Elle s'est quand même poussée pour me faire de la place près d'elle sous la couette chaude.

Je me suis glissée entre les draps en inspirant à fond. Son côté du lit sent le gâteau à la cannelle, celui de papa la pomme de pin. Au milieu, les deux parfums se mélangent magnifiquement, et c'est ma place préférée.

Mais ce matin-là, bien que papa soit déjà parti mener la Grande Guerre des Pigeons, je me suis installée du côté cannelle.

Maman a passé un bras autour de mes épaules.

– Je suis navrée, ma chérie, mais tu vas te sentir toute seule à l'école aujourd'hui avec tes cheveux courts. Tu ne peux pas rester à la maison, j'ai du travail.

Donc je suis allée contrainte et forcée à l'école. Ce qui a failli tourner à la catastrophe. Un peu plus et on m'emmenait à l'hôpital en ambulance, avec la sirène qui hurle et tout le bazar !

L'épisode quasi fatal a eu lieu chez la directrice, où mon maître m'avait envoyée pour qu'elle m'explique une fois de plus que je ne devais pas m'agiter en classe.

Quand elle m'a vue entrer dans son bureau, Mme Pain a émis, elle aussi, le même son étouffé que Polka quand elle avait une boule de poils coincée dans la gorge. Puis elle a croassé :

– Clémentine ! Qu'est-ce que tu as fabriqué ? Tu as massacré tes cheveux !

Comme elle avait répondu elle-même à sa question, je n'avais plus besoin de le faire.

Je me suis écriée :

– Clémentine et Pain! On a toutes les deux un nom de truc qui se mange!

Mme Pain a pincé fort les lèvres comme si elle avait peur que ses dents s'échappent de sa bouche. Puis elle a lu le mot que mon maître m'avait demandé de lui remettre. Avant d'écouter son sermon, j'ai préféré éclaircir la situation.

– Je ne peux pas m'empêcher de bouger. Ce n'est pas ma faute, je suis allergique à la position assise prolongée.

– Personne n'est allergique à cela, Clémentine.

– Moi, si. Mon frère, lui, est allergique aux cacahuètes. S'il en mange une, il enfle, ça le démange partout, il se gratte, il ne peut plus respirer. Eh bien moi, si je reste assise sans bouger, ça me démange, j'enfle, j'ai envie de me gratter, je ne peux plus respirer.

Mme Pain a plissé les yeux en se frottant le front. Je sais que ce geste signifie : « Cette idée est si nulle qu'elle me donne mal à la tête », car c'est exactement la grimace que je fais quand ma mère me demande d'aller rendre visite à Mme Jacobi.

Malheureusement, ce stratagème ne donne jamais rien et je suis toujours obligée de lui obéir.

– Si mon frère mange une minuscule miette de cacahuète, ai-je poursuivi, il risque d'être transporté à l'hôpital en ambulance, avec la sirène qui hurle et tout le bazar ! Et moi, si je reste assise plus d'une minute... Ah, oh, ouh là là, au secours !

J'ai trépigné sur ma chaise pour ne pas me gratter.

– Ouf ! Ça va mieux ! me suis-je écriée.

Mme Pain a poussé un grand soupir de ballon qui se dégonfle.

– Clémentine, lorsque tu es en classe, ne pourrais-tu pas essayer de gigoter un peu plus discrètement ?

J'ai interrogé mon corps, qui m'a dit : « D'accord. » Alors j'ai répondu :

– D'accord.

– Bien, a continué Mme Pain. Et si nous parlions de tes cheveux ?

Du coup, j'ai pensé à Margaret. Penser à Margaret m'a rappelé les bijoux qu'on devait lui poser sur les dents. Moi aussi, je voulais à tout prix des bijoux sur mes dents. Puis j'ai réfléchi : et si les bagues avaient des bords affreusement pointus ?

Je n'avais pas envie de penser à des trucs pointus qui me poursuivraient toute la journée, alors j'ai regardé par la fenêtre, parce que la seule façon d'oublier les trucs pointus, c'est de fixer des objets ronds, et pour ça, les nuages sont géniaux.

Justement, il y en avait un qui ressemblait à un chien. Enfin à un chien qui n'aurait eu que deux pattes. Et deux pattes sur le dos, pas sous le ventre. Il aurait fait un tatouage formidable. Je n'ai pas encore le droit de me faire tatouer – ce qui est injuste –, du coup, en attendant, je dessine sur mes bras.

Comme je n'avais pas de stylo, j'en ai cherché un du regard sur le bureau de Mme Pain quand, soudain, j'ai réalisé que je n'avais jamais vu ses bras ! Ils étaient toujours dissimulés sous ses manches de directrice. Carrément louche !

— Vous avez des tatouages ? ai-je demandé. Je peux les voir ?

— Quoi ? Nous parlions de tes cheveux, Clémentine !

Je lui ai rappelé qu'on avait changé de sujet depuis longtemps et je lui ai souri gentiment. Après tout, ce n'était pas sa faute si elle souffrait d'un problème d'inattention.

MERCREDI

Des bijoux sur les dents

Dès que je suis rentrée chez moi, j'ai guetté les pieds de Margaret par la fenêtre de la cuisine.

Comme je connais toutes les chaussures de tous les habitants de l'immeuble, je sais toujours qui entre et qui sort. Papa a raison. Je deviendrai peut-être détective quand je serai grande.

J'ai attendu, attendu, attendu – ce qui est la chose la plus difficile au monde. Surtout quand on a chaud à la tête (ma mère m'avait obligée à mettre mon bonnet de laine pour camoufler ma coupe de cheveux).

Enfin, après un très long moment, j'ai vu passer les baskets violettes de Margaret. Je me suis précipitée dans le hall.

– Montre-moi! ai-je crié.

Margaret a retroussé les lèvres pour que je puisse voir ses dents.

Sa bouche était l'endroit le plus magnifique que j'aie jamais vu, encore plus beau que le château de la Belle au bois dormant, à Disneyland où j'irai pour mes dix ans. Chaque dent était ornée d'une bague étincelante, entourée de rubans bleus ; on aurait dit une série de petits cadeaux.

— Ce sont des élastiques, m'a expliqué Margaret. Il faudra les changer tous les mois. Ils seront à chaque fois d'une couleur différente. Et c'est moi qui la choisirai.

Alors j'ai eu une super idée.

J'ai d'abord retiré mon bonnet pour montrer à Margaret qu'elle n'était plus seule au monde. Ça lui a fait plaisir de voir que j'avais les cheveux aussi courts que les siens.

Puis je lui ai parlé de la super idée qui venait de jaillir dans ma tête.

– Je te laisse choisir la couleur de mes nouveaux cheveux. Et je t'autorise à dessiner des boucles sur ma tête.

Ça lui a fait encore plus plaisir. La preuve, elle a dit en sautillant d'impatience :

– Les feutres sont restés dans ma chambre. Allons-y.

– Ta mère est toujours fâchée?

– Oui. Mais elle va au cinéma avec Alan cet après-midi, on sera tranquilles.

Alan est l'ami de la mère de Margaret. C'est ainsi que les adultes appellent leurs petits copains.

On est donc montées chez Margaret.
Mitchell était là. Il regardait la télévision. Quand il m'a vue, il a fait semblant d'avoir une crise cardiaque : il s'est
agrippé la poitrine avant de tomber à la
renverse sur le sol. Puis il a conclu en se
tapant le front :

— Ah! Vous êtes incroyables, les filles.
Absolument incroyables.

Il n'était pas obligé d'être si gentil avec
nous puisqu'il est plus vieux que nous,
mais je crois qu'il m'aime bien.

Margaret lui a lancé un regard noir et m'a planté son coude dans les côtes. Alors, moi aussi, j'ai fixé Mitchell d'un air méchant, même si je ne savais pas pourquoi. Je ne suis pas si sûre que Margaret soit l'enfant facile de cette famille.

Elle m'a entraînée dans sa chambre en ronchonnant :

– Vivement cet été ! Ma mère va enfin se débarrasser de lui, il part faire un stage de baseball.

– Mais ta mère ne se débarrasse pas de lui puisque c'est lui qui veut y aller.

Margaret a braqué sur moi son regard je-suis-en-CM1-pas-toi, et elle a marmonné :

– Bon débarras quand même.

Puis elle a sorti les marqueurs de ma mère. Ils étaient toujours bien rangés dans leur boîte et aucun capuchon n'était mâchouillé. Je me demande comment Margaret résiste à la tentation.

Elle en a choisi un vert vif pour me teindre les cheveux et dessiner des boucles sur mon front et ma nuque.

– Pas de traits pointus, lui ai-je rappelé. Seulement des arrondis.

Parler de traits pointus m'a rappelé une fois de plus les bagues des dents de Margaret.

– Elles ne te gênent pas ? ai-je demandé. Je parie qu'elles ont des bouts pointus qui piquent.

– Pas du tout. Elles sont divinement agréables. Aussi douces que des oreilles de lapin. De bébé lapin. Dommage que tu ne puisses pas avoir les mêmes.

Tout en parlant, elle retroussait les lèvres pour montrer ses dents et j'ai eu un peu de mal à la comprendre.

– Moi aussi, je vais avoir des bagues sur mes dents, j'ai dit en essayant de retrousser mes lèvres comme elle. La semaine prochaine.

Sur cette révélation, j'ai remis mon bonnet et suis descendue chez moi en courant pour que cette fausse vérité ne se transforme pas en vrai mensonge.

– Maman ! j'ai crié en refermant la porte. Je veux des bagues aux dents. Margaret en a, elles sont magnifiques et très agréables à porter.

Ma mère a aussitôt répliqué :

– Premièrement, elles ne sont pas agréables à porter. Pas au début, en tout cas. La mère de Margaret est passée en début d'après-midi pour me demander s'il me restait des calmants que je donnais à ton petit frère quand ses dents commençaient à percer. Il paraît que Margaret pleurait en sortant de chez l'orthodontiste.

Alors là ! Quelle menteuse, cette Margaret !

– J'en veux quand même, ai-je répliqué. La semaine prochaine.

– Deuxièmement, tu n'en as pas besoin. Tes dents sont très bien alignées.

C'était la remarque la plus injuste que j'avais jamais entendue.

– Pas du tout ! Il faut prendre rendez-vous immédiatement, elles sont en train de se mettre de travers.

Oui, j'en étais certaine, je les sentais même bouger.

Avant que maman n'en arrive à son troisièmement, le plus redoutable, mon frère s'est réveillé de sa sieste et m'a appelée.

– J'arrive, Radis, ai-je crié en filant dans sa chambre.

Quand il m'a vue, il a crié :

– Clém, ze veux faire du wok.

– D'accord, j'ai dit.

J'ai ajouté après deux secondes de réflexion :

– Tu en as de la chance de m'avoir pour grande sœur !

Il faut que je le lui répète tous les jours, sinon il oublie.

On est allés dans la cuisine. J'ai sorti le wok et je lui ai rappelé que personne ne m'avait inventé un jeu pareil quand j'étais petite.

J'ai assis Topinambour dans le wok, il a agrippé les poignées pendant que je lui donnais de l'élan de toutes mes forces. Le wok s'est mis à tournoyer.

Une fois qu'il s'est arrêté, Salsifis le Facile a posé les pieds par terre et titubé pendant une ou deux secondes avant de tomber, et il a éclaté de rire.

– Encore !!! a-t-il réclamé.

J'ai refusé parce que si je recommençais, il vomirait, donc quelqu'un serait obligé de nettoyer, et je n'avais pas envie que ce quelqu'un soit moi. Voilà qui s'appelle Être Responsable.

Alors Carotte s'est approché de moi et il m'a arraché mon bonnet.

– Vert ! il a dit en désignant mes cheveux.

Une pensée fulgurante m'a traversé l'esprit.

Avant, Margaret avait les cheveux longs, bruns et raides ; on ne se ressemblait pas.

Après, on lui avait coupé les cheveux et on les avait coloriés en roux ; on se ressemblait un peu.

Maintenant, elle avait des bagues aux dents ; on ne se ressemblait plus.

Mais bientôt, ses dents seraient redressées ; on se ressemblerait. Sauf qu'à présent j'avais les cheveux verts et qu'on ne se ressemblait pas.

D'ailleurs, est-ce que j'avais vraiment envie qu'on se ressemble ?

JEUDI

Fâchées pour la vie

Jeudi matin, je me suis réveillée avec une idée méga spectaculaire. J'ai de la chance : ces idées jaillissent toutes seules dans mon cerveau. Mon secret, c'est de les utiliser très vite dès qu'elles jaillissent, sinon elles s'ennuient et s'enfuient.

J'ai donc appelé Margaret pour lui annoncer que je lui réservais une surprise et qu'on devait s'installer tout au fond du bus scolaire pour être tranquilles.

C'est injuste comme parfois les idées méga spectaculaires ne fonctionnent pas. Et c'est aussi injuste que les chauffeurs de bus scolaire aient le droit de vous envoyer dans le bureau de la directrice.

– Ce n'est pas ma faute, ai-je expliqué à Mme Pain avant qu'elle ait le temps de lancer un de ses « Clémentine-au-nom-du-ciel-pourquoi »… Margaret a la peau du crâne glissante et la colle n'a pas tenu.

Mme Pain est tombée assise sur sa chaise. Elle a plaqué les mains contre ses oreilles et s'est pressé la tête comme si elle voulait en faire sortir sa cervelle. D'un côté, j'aurais aimé voir le résultat, mais, de l'autre, je pensais : « Non merci, pas ce matin ! »

– Le problème n'est pas la peau du crâne de Margaret, a décrété Mme Pain. Le problème, c'est que tu as essayé de coller tes cheveux coupés sur son crâne. Tu t'attires beaucoup d'ennuis cette semaine, Clémentine, beaucoup trop. Lundi, tu coupes les cheveux de Margaret et tu la teins en roux. Hier, tu te coupes les cheveux et tu les teins en vert. Et aujourd'hui, tu essaies de coller tes cheveux sur la tête de Margaret. Qu'est-ce qui vous arrive à toutes les deux?

– Comment vous épelez hydrogène? ai-je aussitôt demandé.

Vous avez remarqué que lorsqu'on pose des questions sérieuses aux adultes, on parvient parfois à détourner leur attention?

Malheureusement, juste après avoir épelé hydrogène, Mme Pain a reparlé de Margaret.

– Tu lui en veux? Tu as quelque chose contre elle?

– NON!

Bon, d'accord, j'ai hurlé. Mais je ne l'avais pas prémédité. Et un flot de paroles est sorti de ma bouche sans que je puisse le retenir.

– La preuve que je suis la meilleure amie de Margaret c'est que je ne lui en veux même pas d'avoir postillonné sur les M&M's qui décoraient mon gâteau d'anniversaire – le meilleur du gâteau.

Je ne lui en veux pas non plus de s'être assise sur mes tubes de peinture pailletée – mon plus beau cadeau – en disant que c'était un accident alors que je suis sûre qu'elle l'a fait exprès. Et je ne lui en veux pas non plus dès qu'elle essaie de me ressembler. Sauf qu'elle a des bagues aux dents et pas moi.

– Je vois, a juste déclaré Mme Pain.

Elle m'a dévisagée sans rien ajouter, ce qui est la pire chose qui puisse arriver quand on est dans le bureau d'une directrice.

Je suis restée assise à balancer les jambes d'avant en arrière à toute vitesse avant de demander :

– Je peux aller en classe maintenant ?

– Oui, tu peux.

Après l'école, Margaret a obtenu la permission de venir jouer chez moi.

– Ça veut dire que ta mère n'est plus fâchée contre moi ? ai-je tenté.

– Pas du tout, a répliqué Margaret. Elle pense simplement que tu ne peux rien faire de pire. Elle dit aussi qu'à neuf ans je devrais être capable de protéger ma propre tête.

Je lui ai alors annoncé l excellente nouvelle qui venait juste de jaillir de mon cerveau :

– Moi aussi, j'ai neuf ans maintenant.

– Non! Tu as huit ans. Tu m'as invitée à ton anniversaire la semaine dernière.

Merci, je m'en souvenais !

– Mais si! ai-je insisté. Ce jour-là, j'avais huit ans. Après huit, il y a neuf. Comme on est après mon anniversaire, j'ai neuf ans. Donc, on a le même âge!

– C'est idiot! a crié Margaret. J'ai presque dix ans et toi tu en as à peine huit! Pas neuf!

Elle a voulu rejeter ses cheveux en arrière, sauf que, sans cheveux, l'effet n'était pas aussi convaincant.

– Si, j'ai neuf ans, ai-je rétorqué. Je suis en classe avancée de maths, je te signale, je sais très bien compter!

Margaret a haussé les épaules et elle est partie en claquant la porte. Après tout ce que j'ai fait pour l'aider à arranger ses cheveux pleins de colle!

Je l'ai poursuivie dans le couloir en criant :

– Tu n'avais qu'à pas postillonner sur mon gâteau d'anniversaire! Ni t'asseoir sur mes tubes de peinture! Et d'abord, je ne veux pas que tu me ressembles!

Elle ne s'est même pas retournée. Zut, je n'avais plus personne avec qui jouer jusqu'à la fin de ma vie.

Pas grave, je m'en fichais puisque j'avais neuf ans.

Ou peut-être juste un peu plus de huit, bon, d'accord.

C'est alors que je me suis rappelé que lorsqu'on vieillissait, on devait vérifier si on commençait à avoir de la barbe. J'ai couru à la salle de bains. Je suis montée juste comme ça sur les toilettes pour regarder par la fenêtre, au cas où je verrais Margaret dans la petite allée. Je ne l'ai pas vue, mais ça ne m'a fait ni chaud ni froid.

Surtout quand je me suis regardée dans le miroir : ma barbe avait commencé à pousser sur une de mes joues !

— Hé, Bill ! ai-je crié.

C'est le nom que les gens donnent à mon papa.

— Où tu ranges ton rasoir ?

Papa a surgi dans une glissade si rapide que j'ai cru que ses semelles allaient prendre feu. Mais non. Je lui ai montré ma barbe.

– Tu as vu, ma barbe a poussé.

Il a plissé les yeux, reniflé ma joue et déclaré :

– Ce n'est pas de la barbe, Clémentine, c'est du chocolat. D'ailleurs, son odeur ressemble étrangement à celle du glaçage dont ta mère a enrobé le gâteau qu'elle a préparé pour son club de lecture, celui auquel personne n'avait le droit de toucher. Bizarre, non ?

Très déçue, j'ai essuyé le chocolat.

– Tu sais bien que les filles n'ont pas de barbe, Clémentine, m'a rappelé papa.

– Et l'Incroyable Femme à Barbe qu'on a vue au cirque, alors ?

– Je te l'ai dit cent fois, Clémentine : tu ne peux pas avoir de barbe.

– Alors que Rutabaga en aura une comme la tienne, un jour ? Qui lui descendra jusqu'aux genoux s'il en a envie ? Et pas moi ? C'est injuste.

Ce que je lui ai déjà répété dix fois, cent fois, mille fois.

– Premièrement, ton frère ne s'appelle pas Rutabaga. Deuxièmement... euh... eh bien, ce n'est pas le jour pour parler de ce qui est juste et injuste.

Mon père et moi avons longtemps contemplé dans le miroir mon visage furieux surmonté de gribouillis verts.

– D'accord, je me suis attiré pas mal d'ennuis ces derniers temps, ai-je murmuré.

– Je sais, Clém.

Et il m'a serrée dans ses bras. En général, ça suffit à dissiper ma colère. Mais cette fois, j'ai ressenti un drôle de mélange de tristesse et de bonheur, ce qui était très déroutant.

– Dis-moi, Clém, tu as un peu de temps libre?

Je lui ai jeté un regard en coin : tout dépendait pour quoi.

– La Grande Guerre des Pigeons, a précisé papa comme s'il avait lu dans mes pensées. C'est l'heure de la bataille du soir. J'aurais besoin de quelqu'un comme toi sur le front. Quelqu'un qui a des idées neuves.

J'ai accepté. On a enfilé nos impers et on est sortis.

Pour commencer, mon père a sorti le tuyau d'arrosage (il l'appelle l'artillerie lourde) afin de laver les marches et le trottoir devant l'entrée de l'immeuble. Ensuite, il a braqué le jet sur les pigeons qui envahissent les corniches, les rebords des fenêtres, les balcons et les avant-toits de la façade. Il les a arrosés jusqu'à ce qu'ils partent.

C'est le moment que je préfère…

Quand un million de pigeons s'envolent en même temps au-dessus de ma tête, je sens leurs battements d'ailes exploser à l'intérieur de moi comme un feu d'artifice.

— Tu veux nettoyer le lion ? m'a proposé papa en me tendant le tuyau.

Bien sûr, j'ai accepté.

Le lion sculpté au-dessus de la porte d'entrée a des dents très pointues, pourtant je n'ai pas peur de lui puisqu'il est là pour nous protéger. Je l'ai arrosé jusqu'à ce qu'il devienne brillant et reflète la lumière des réverbères, puis je me suis tournée vers mon père.

– Tu sais, papa, ce n'est pas vraiment contre les pigeons que tu es en guerre.

– Qu'est-ce que tu racontes ? J'ai pour mission de veiller à la propreté de l'immeuble et en particulier à celle de l'entrée. Tu as vu les dégâts qu'ils font ?

– Oui. Mais ce n'est pas aux pigeons que tu en veux. C'est à leurs crottes.

– OK, tu as raison. Je suis en guerre contre les crottes de pigeon. Tu as une suggestion pour les éviter sans éliminer les pigeons ?

– On pourrait attendre qu'ils soient endormis et leur enfiler des mini-couches en douce ! ai-je proposé.

– Voilà une idée brillantissime ! m'a félicitée papa. Je savais que je pouvais compter sur toi pour envisager le problème sous un angle nouveau. Je te nomme chef !

– Tu m'as déjà nommée chef la semaine dernière, lui ai-je rappelé. Quand je t'ai proposé de leur faire payer un loyer.

– Bon, alors grand chef.

– Laisse tomber. Qui changerait toutes ces couches, de toute façon ? Certainement pas moi.

– Hummm. Excellente remarque. Retour à la case départ.

On s'est assis côte à côte, on a observé les pigeons qui revenaient se poser sur l'immeuble pour la nuit et on les a écoutés roucouler au-dessus de nous. On aurait cru un million de vieilles dames en train de se chuchoter des secrets.

– Qu'est-ce qu'on va faire ? ai-je demandé. En vrai, je veux dire…

VENDREDI

Un nouveau plan de bataille

J'ai tout de suite compris que ce vendredi serait une mauvaise journée car,
au petit-déjeuner, mes œufs étaient tout
gluants.

— Je ne peux pas manger mes œufs,
ai-je signalé à ma mère. Ils sont gluants.

— Mange le jaune et le blanc et laisse
le gluant, m'a-t-elle répondu.

Mais je ne pouvais pas parce que le
gluant avait touché le jaune et le blanc.
Donc je me suis contentée d'une tartine
grillée.

Au moment où je partais pour l'école,
mon père m'a demandé :

— Tu as toutes tes affaires ?

— Bien sûr. Dans mon sac à dos.

Mais quand j'ai voulu lui montrer mon devoir – trois phrases sur la planète Saturne autour desquelles j'avais dessiné des écureuils que j'avais observés dans le parc –, il n'y était pas !

– Tu devrais aller jeter un œil au Trou Noir, a-t-il suggéré avec un sourire malicieux.

Je lui ai lancé mon regard Tu-n'es-vraiment-pas-drôle avant d'aller vérifier. Le Trou Noir, c'est ainsi que mon clown de père a baptisé l'espace sous mon lit. Il prétend que les objets y disparaissent mystérieusement. À mon avis, un père ne devrait pas faire le clown.

En plus, mon devoir ne se cachait pas sous mon lit...

Ensuite, la journée entière a été catastrophique.

Dans le bus, Margaret a dépassé la rangée où on s'assied d'habitude pour s'installer à côté d'Amanda-Lee, alors qu'Amanda-Lee n'a qu'un seul sujet de conversation : les magasins du centre commercial, ce qui est vraiment barbant. En plus, Amanda-Lee a un si beau prénom que ce n'est sûrement pas le vrai. Je suis persuadée qu'elle l'a inventé.

Au début de la classe, le maître a annoncé :

— Les élèves suivants sont dispensés de récréation pour mettre à jour leur journal de bord.

Évidemment, je faisais partie des élèves suivants.

Pendant que j'écrivais dans mon journal de bord, le maître a répété trois fois :

– Clémentine, sois plus attentive s'il te plaît !

Mais j'étais attentive ! Je regardais attentivement par la fenêtre les CM1 qui jouaient au ballon. Dès qu'il frôlait Margaret et Amanda-Lee, elles s'agrippaient l'une à l'autre en poussant des cris perçants comme si on allait les assassiner. Tout le monde sait que ça signifie : « Nous sommes les meilleures amies du monde ! »

J'ai été super contente que le maître me fasse changer de place pour m'éloigner de la fenêtre.

Sur mon journal de bord, j'ai écrit en gros JE M'EN FICHE ! J'étais tellement énervée que la pointe de mon crayon s'est cassée.

En rentrant de l'école, je pensais filer directement dans ma chambre pour me dessiner avec une nouvelle meilleure amie, quand j'ai croisé mon père qui enfilait son imperméable. Comme il ne pleuvait pas, j'en ai conclu qu'il se préparait pour sa bataille quotidienne.

– La guerre contre les pigeons n'est pas une affaire de mauviette ! s'est-il écrié. Elle exige un courage extraordinaire. Ainsi qu'une ingéniosité hors du commun.

Si papa parlait ainsi, c'est qu'il avait une idée en tête.

– Tu as un nouveau plan de bataille ? ai-je demandé.

– Ouaip. Un sacré plan. On va sûrement me nommer général en chef.

– Mais tu es déjà général en chef, tu ne t'en souviens pas ?

– Oh, exact. Je suis si modeste qu'il m'arrive de l'oublier. Je parie que, cette fois, j'aurai droit à la mécaille d'honneur.

– Papa !

– Peut-être même qu'on me fera chevalier.

– Papa !

De temps en temps, mon père a besoin d'aide pour redevenir sérieux.

– Alors ce nouveau plan de bataille ?

Il a regardé autour de lui, comme s'il redoutait que des espions nous écoutent, avant de se pencher vers moi pour me murmurer à l'oreille :

– Nous allons livrer une bataille psychologique…

Son idée ne me paraissait pas mauvaise du tout.

Je l'ai accompagné dehors et je me suis assise sur les marches pour le regarder mener l'offensive.

Il a d'abord arrosé le trottoir, puis les pigeons jusqu'à ce qu'ils s'envolent, tout en marmonnant des trucs du style :

– Ils sont peut-être malins, mais je suis plus malin qu'eux.

Ou encore :

– Rira bien qui rira le dernier.

Ensuite il a sorti d'un sac un hibou en plastique marron, calé une échelle contre la façade, grimpé tout en haut et placé le hibou sur la tête du lion, au-dessus de la porte d'entrée.

Je lui ai demandé à quoi il servirait.

– Dès que les pigeons le verront, ils s'enfuiront vers les collines, m'a-t-il expliqué. Ou vers un autre immeuble. Les pigeons ont une peur bleue des

hiboux. Oui, on m'adoubera certainement chevalier.

— Il est en plastique, ton hibou, ce
n'est pas un vrai, lui ai-je rappelé.

— Les pigeons ne le savent pas, a rétorqué papa. C'est là mon génie.

Je ne comprenais pas en quoi son idée
était géniale. Je voyais mal comment un
petit hibou en plastique allait effrayer une
bande d'un millier de pigeons qui se bat-
taient pour se percher sur la tête d'un lion
rugissant.

Pendant que papa se félicitait de son
génialissime plan de bataille, les pigeons
sont revenus se percher sur la façade
de l'immeuble, sauf un qui a préféré se
poser sur la tête du hibou.

Mon père avait vraiment besoin que
quelqu'un lui souffle un plan de bataille
efficace.

— Polka leur aurait fait peur, elle, ai-je
lancé.

Papa a posé son échelle, retiré son imperméable, puis il s'est assis à côté de moi sur les marches du perron.

– Elle te manque encore, hein, Clém? J'ai hoché la tête.

– Quand je rentre de l'école, ça me manque de ne pas la voir. De ne pas pouvoir caresser le dessous de son cou, là où son pelage était si doux. Et de l'entendre ronronner quand je m'endors. Même l'odeur de ses boîtes de pâtée me manque.

– Ça fait beaucoup de choses qui te manquent…

– Elle aurait effrayé les pigeons, elle, tu ne crois pas?

– Certainement. C'était une chatte terrifiante.

– Pour les pigeons, oui.

Et c'est alors que j'ai eu l'idée la plus terriblement astucieuse de toute ma vie!

J'ai sauté sur mes pieds, embrassé mon père à l'endroit où sa barbe ne pique pas, filé à l'appartement, foncé dans ma chambre et soulevé mon matelas pour récupérer ma photo préférée de Polka.

Puis j'ai couru à la boutique de photocopies, au coin de la rue.

– Bonjour ! Est-ce qu'il est possible d'agrandir cette photo ? ai-je demandé.

– À quelle taille ? a interrogé le vendeur.

J'ai sorti de mon porte-monnaie tout l'argent que j'avais reçu le jour de mon anniversaire et je l'ai étalé sur le comptoir.

– La plus grande possible en échange de cette montagne de pièces ?

Il les a comptées, a réfléchi un instant et déclaré :

– Je peux donner à ce chat la taille d'un berger allemand.

– Formidable ! ai-je répondu avec enthousiasme.

Il a pris l'argent et la photo de Polka et m'a dit de revenir à la boutique le lende-main à 16 heures.

Je suis rentrée chez moi en quatrième vitesse. Mes parents discutaient dans la cuisine.

– ... reste un seul, disait mon père.

– Un seul nous suffit. Tu crois que notre idée est bonne ? a enchaîné ma mère.

– Oui, je crois que c'est le moment.

– Bon. J'appellerai demain.

« Un seul nous suffit » ? J'ai claqué très fort la porte derrière moi. S'ils parlaient de se débarrasser de moi pour ne garder qu'un seul enfant – le facile –, je préférais ne pas les entendre. De toute façon, je ne m'inquiétais pas le moins du monde, ils ne parlaient sûrement pas de moi.

– Chut ! a fait mon père. La voilà.

Si, maintenant j'avais de bonnes raisons de m'inquiéter.

SAMEDI

La défaite des pigeons

Je vais vous livrer un secret : parfois j'aime bien écrire dans mon journal de bord, je note mes bonnes résolutions pour quand je serai grande. Comme ça, je ne risque pas de les oublier d'ici là. Par exemple : j'ai l'intention de fumer le cigare et je n'ai pas l'intention de me marier. Vous vous rendez compte si j'oubliais ?

Un autre secret : quand je serai grande, si jamais je me marie, ce qui n'arrivera pas, j'aurai une seule enfant. La première. Elle me conviendra très bien. Même si c'est la difficile. Oui, vraiment pas besoin d'un autre enfant, même si c'est un facile.

Ce samedi-là, je relisais mes bonnes résolutions quand mes parents et mon frère sont rentrés à la maison. Navet était fâché parce qu'il avait dû se faire vacciner.

Il était si énervé que mes parents lui ont permis de regarder un DVD en mangeant des pleines poignées de bonbons de toutes les couleurs alors que, en général, ils sont plutôt du genre à nous asseoir devant une émission documentaire avec quelques bâtons de carotte à grignoter.

Du coup, j'ai annoncé que je devais écrire mon journal de bord, même si ce n'était pas vrai puisqu'on était samedi, et j'ai fait semblant d'être très contrariée de devoir travailler pour qu'ils me prennent en pitié, moi aussi.

Dès qu'ils sont entrés dans ma chambre, j'ai froncé les sourcils et j'ai avancé les dents du bas aussi loin que possible.

Voici mon portrait pris sur le vif :

D'accord, mes dents ne sont pas aussi pointues que celles du lion en pierre de l'entrée de l'immeuble. Mais on voit quand même que j'étais fâchée, non ?

Eh bien, vous savez ce que mes parents ont fait ? Rien. C'est la preuve qu'ils ne sont pas très attentifs.

— Excusez-moi, ai-je précisé, mais je vous assure que je suis extrêmement fâchée d'être obligée de travailler. Est-ce que je pourrais regarder un DVD et avoir des bonbons moi aussi ?

Ils m'ont regardée fixement, comme si je m'exprimais dans la langue secrète que je parle avec Margaret, ce qui n'était pas le cas. J'ai précisé :

– Courgette a eu le droit de regarder un DVD en mangeant des bonbons pleins de colorants pour le consoler de sa piqûre, lui.

– Premièrement, ton frère ne s'appelle pas Courgette, a protesté ma mère. Deuxièmement, il n'a que trois ans.

– Et troisièmement, a poursuivi mon père, vu toutes les bêtises que tu as collectionnées cette semaine, crois-tu que le moment soit bien choisi pour nous réclamer une faveur ?

– Bon, d'accord, ai-je répondu.

Sauf qu'en fait, je n'étais pas du tout d'accord.

Dans l'après-midi, maman est partie à son cours de yoga et a emmené mon frère au club de baby gym.

Mon père bricolait au deuxième étage de l'immeuble.

D'habitude, moi, le samedi après-midi, je joue avec Margaret. Mais Margaret n'était plus mon amie. Donc, je n'avais strictement rien à faire – même pas manger des bonbons en regardant un DVD – avant d'aller chercher la grande photo de Polka.

Soudain, je me suis demandé sur quelle fenêtre j'allais l'afficher.

Pour que Polka effraie les pigeons, il fallait qu'elle soit perchée tout en haut de l'immeuble.

Margaret habite au cinquième, mais, à mon avis, sa mère ne permettra pas à une vulgaire criminelle de coller une photo sur une fenêtre de son appartement.

Le monsieur du sixième sent la naphtaline, alors je n'entre jamais chez lui.

Quant aux habitants du septième, ils étaient en vacances.

Tiens, au fait, j'avais oublié les peintres qui travaillent à leur étage !

J'ai foncé pour voir s'ils avaient besoin d'aide. Le palier était désert, en revanche leurs échasses et leurs pots de peinture étaient encore là et ils n avaient pas terminé leur travail.

C'est alors qu'une idée lumineuse a fusé dans mon cerveau : je pourrais finir de peindre à leur place ! Et quand ils reviendraient lundi, ils se taperaient le front en s'écriant : « Waouh ! Incroyable ! Le palier s'est repeint tout seul pendant le week-end ! »

Ils ne sauraient pas qui leur avait rendu cet immense service jusqu'à ce que j'apparaisse comme par magie et que je leur dise :

– C'est moi !

Tout en attachant les échasses, je souriais en pensant à la surprise que je leur réservais.

Malheureusement lorsque j'ai voulu me relever, je suis tombée. J'ai essayé à nouveau ; je suis retombée.

Vingt-neuf fois de suite.

Ça fait beaucoup, je vous assure. J'en ai eu tellement marre que je suis redescendue chez moi.

L'ascenseur s'est arrêté au cinquième. Margaret m'a souri en pénétrant dans la cabine ; j'ai frissonné de joie.

Sauf qu'une seconde plus tard Amanda-Lee est entrée dans l'ascenseur à son tour.

– Salut, Clémentine, a lancé Margaret. On va au centre commercial.

Je leur ai tourné le dos et les yeux plissés, je me suis concentrée sur les boutons des étages. Arrivée au sous-sol, je me suis précipitée dans ma chambre pour me dessiner au centre commercial avec plein de nouvelles meilleures amies.

Enfin, l'heure est venue de retourner à la boutique de photocopies. J'ai couru tout le long du chemin alors que j'avais sûrement les deux jambes cassées après mes vingt-neuf chutes du haut des échasses.

Quand le vendeur m'a montré la photo de Polka, mon cœur s'est serré au point que j'ai été incapable de respirer pendant une minute entière. Elle était si belle en grand! Comme elle me manquait!

J'ai vite aspiré une bouffée d'air pour ne pas m'évanouir, j'ai dit merci et emporté Polka à la maison, en faisant bien attention de ne pas la plier. Elle aurait détesté ça.

Devant l'immeuble, j'ai observé les pigeons et la façade. Mon regard a escaladé le bâtiment jusqu'au dernier étage, où habite la vieille Mme Jacobi...

J'ai glissé la grande Polka sous mon bras, j'ai pris l'ascenseur jusqu'au huitième et j'ai frappé à sa porte.

– Est-ce que je peux coller cette photo sur la fenêtre de votre salon? ai-je demandé. Celle du milieu?

– Mais certainement, ma petite chérie! a répondu Mme Jacobi sans même chercher à savoir pourquoi.

Brusquement, elle ne m'a plus paru aussi vieille ni aussi ennuyeuse.

Je suis allée ouvrir la fenêtre. De là-haut, je voyais les dos d'un million de pigeons en train de roucouler. Il y en avait partout : sur les rebords des fenêtres, sur les balcons, sur les corniches. Et tout en bas, le trottoir, encore humide, brillait. Mon père venait de l'arroser.

De mon poste d'observation, je pouvais « envisager le problème sous un angle nouveau », comme il le souhaitait.

Mme Jacobi m'a rejointe et a vidé la moitié d'une boîte de Cheerios sur le rebord de la fenêtre. Aussitôt, les pigeons se sont envolés vers nous dans un grand nuage gris.

Et brusquement, j'ai compris !

Je suis sortie comme une flèche de l'appartement de Mme Jacobi et j'ai dévalé l'escalier – six fois douze marches égale soixante-douze – jusqu'au deuxième étage où mon père bricolait encore.

– Papa ! Papa ! Et si les pigeons ne se perchaient plus sur la façade mais sur le côté de l'immeuble, ce serait mieux ?

– Ce serait génial. Miraculeux. Évidemment, il faudrait d'abord convaincre un million de pigeons de déménager.

– Et si je réussissais à les convaincre, le problème serait résolu, non ? Au fait, ça t'ennuierait qu'ils salissent le trottoir de la petite allée ?

– Non, pas le moins du monde. Cette allée est toujours déserte. Elle pourrait disparaître sous un mètre de fientes, personne ne le remarquerait. Je te donne mon feu vert.

Je suis remontée en courant chez Mme Jacobi. Je n'ai pas eu besoin de frapper. La porte était restée ouverte tellement j'avais été rapide !

Quand je suis entrée, Mme Jacobi observait les pigeons qui picoraient les Cheerios sur le rebord de sa fenêtre. Je me suis précipitée vers elle et, sans reprendre mon souffle, je lui ai proposé :

– Madame Jacobi, si vous voulez, je vous achèterai vos Cheerios chaque semaine sans que vous ayez besoin de me le demander. Tous les jours, même. Mais est-ce que vous accepteriez d'arrêter de nourrir les pigeons depuis votre salon? Si vous choisissiez une autre fenêtre? Celle qui donne sur la petite allée par exemple?

J'ai emmené Mme Jacobi dans sa salle à manger pour lui montrer la fenêtre idéale.

– On peut commencer tout de suite, d'ailleurs, ai-je ajouté en secouant la boîte de Cheerios.

Les pigeons n'ont qu'une petite cervelle d'oiseau, mais ils ont vite capté le message parce qu'ils se sont aussitôt déplacés en masse jusqu'à la fenêtre de la salle à manger.

Et cette nouvelle disposition était encore plus agréable pour Mme Jacobi : elle pouvait regarder les pigeons manger pendant qu'elle-même mangeait!

Comme je n'avais plus rien à faire
chez elle, je suis redescendue en vitesse
pour annoncer la bonne nouvelle à mon
père.

Papa et maman étaient dans la cuisine,
en train de préparer le dîner. Je leur ai
tout raconté plusieurs fois en détail. Ils
répétaient sans arrêt :
– Bien joué, Clém !

Finalement, ma mère a conclu :

– Ouf! Tu ne seras plus obligé de passer ta vie à nettoyer derrière ces satanés pigeons, Bill.

Ils étaient drôlement contents. Mais drôlement malins, aussi. Car pendant que je leur expliquais mon stratagème, ils en ont profité pour me glisser sous le nez une passoire pleine de haricots verts à équeuter.

Je ne leur en ai pas voulu. C'était tellement formidable de les voir me regarder d'un air admiratif. Bien plus formidable que d'entendre les peintres du septième étage s'exclamer : « Waouh! Incroyable, le palier s'est repeint tout seul pendant le week-end! »

Malheureusement, ce bon moment n'a pas duré longtemps.

Après le dîner, ma mère a annoncé qu'elle avait du travail. Elle s'est dirigée vers le placard où elle range ses feutres indélébiles… qui se trouvaient toujours dans la chambre de Margaret.

Elle s'est mise à bafouiller :

— Mais où sont mes… Clémentine, tu as pris mes… Non, pas les indélébiles… Je les garde pour…

Quand ma mère ne termine pas ses phrases, c'est très mauvais signe.

— Ils sont chez Margaret, j'ai dit très vite. Ne t'inquiète pas, ils sont impeccables, même pas mâchonnés. Je vais les chercher tout de suite.

— Pas question ! a grondé mon père. Nous allons les chercher ta mère et moi. Je crois qu'il est temps que nous ayons une petite conversation avec la mère de Margaret. Toi Clémentine, tu files dans ta chambre, tu as besoin de réfléchir un peu.

Alors je suis allée dans ma chambre pour réfléchir un peu.

Et j'ai imaginé la mère de Margaret en train d'expliquer à mes parents la règle des enfants : les faciles et les difficiles.

DIMANCHE

Réconciliation dans l'ascenseur

Dimanche matin, quand je me suis réveillée, maman a déclaré :

– Je ne supporterai pas de te voir un jour de plus avec des cheveux verts.

Après le petit-déjeuner, elle m'a entraînée dans la cuisine pour me frotter la tête avec du shampooing, tout en grommelant des mots que jamais une mère n'oserait grommeler si elle passait à la télévision.

Elle a frotté si fort qu'elle m'a sûrement transpercé le cuir chevelu et les os du crâne ; tout le monde pourra voir mon cerveau maintenant et j'ai intérêt à éviter de faire la roue si je ne veux pas qu'il tombe par terre.

Pendant que maman s'acharnait sur moi, je guettais les pieds de Margaret par la fenêtre.

– Le frère de Margaret n'est pas mon ami, ai-je déclaré au cas où ma mère penserait que je guettais les pieds de Mitchell.

Tout en continuant à me frotter le crâne, ma mère a répondu :

– C'est bien.

La phrase que prononcent les adultes quand ils ne font pas attention à nous.

Soudain, du coin de mon œil super attentif, j'ai vu que mon père lisait un de mes livres à mon frère dans le salon. Aussitôt, j'ai hurlé :

– Arrête !

Je me suis jetée sur lui et j'ai refermé le livre juste à temps.

– Haricot est trop petit, papa ! Les chaussures vont lui faire peur !

– Premièrement, ton frère ne s'appelle pas Haricot, Clémentine. Deuxièmement, de quelles chaussures parles-tu ?

Je vous avais bien dit que mon père n'est pas attentif – ces chaussures crèvent les yeux.

– Les vertes à bout pointu que porte l'ours, ai-je chuchoté. Page quatorze.

Je le sais parce que je regarde souvent cette page. Il y a des jours où j'aime me faire peur. Mais pas ce dimanche-là.

– C'est juste une illustration, Clém. Ces chaussures ne sont pas réelles. Tu veux qu'on les regarde ensemble ?

– NON ! ai-je hurlé.

J'étais furieuse : maintenant que j'avais ces chaussures pointues dans la tête, elles ne me quitteraient plus de la journée.

Je suis retournée dans la cuisine où il y a plein de choses rondes et bonnes : cookies, tartes, beignets, pommes…

J'ai attrapé deux tranches de mortadelle dont j'ai arraché le centre d'un coup de dents pour les transformer en lunettes – un tour de mon invention, que je suis seule à connaître.

Désormais, vous aussi vous connaî-trez la recette : pliez une tranche de mortadelle en deux, mordez le milieu. Recommencez. Plaquez les rondelles sur vos yeux et vous obtenez des lunettes en mortadelle !

Voici le résultat :

Comme je suis une grande sœur ado-rable, et que – bon, d'accord – j'avais encore faim, j'en ai confectionné une paire pour mon petit frère.

— Tiens, Petit Pois, ai-je lancé en montant sur les genoux de mon père pour coller les rondelles sur les yeux de mon frère. Mets tes lunettes.

Il a ri si fort qu'il a vomi les gaufres de son petit-déjeuner. Dans un ensemble parfait, mes parents ont crié :

— Clémentine, s'il te plaît !

Incroyable ! Ils doivent s'exercer la nuit pendant que je dors à dire exactement la même chose au même moment. Ils n'avaient pas l'air trop fâchés, ils riaient quand même.

Tout à coup, malgré mon crâne troué, j'ai trouvé que finalement, la journée commençait plutôt bien.

Cette impression de journée qui commençait bien m'a rappelé toutes les impressions de journées qui commençaient mal de la semaine, puis j'ai pensé à Margaret. C'est alors que la plus fantastique des idées a surgi dans ma tête.

Comme je suis très attentive, je sais ce qui plaît à Margaret. J'ai fait le tour de l'appartement en courant pour réunir :

- ⊙ Le collier anti-puces de Polka, parce que Margaret adorait ma chatte.
- ⊙ Une pizza au pepperoni, parce qu'elle ne mange que celle-là.
- ⊙ Les chaussures rouges qu'elle me demande de mettre à ma poupée Barbie chaque fois qu'on y joue.
- ⊙ Une plume de geai bleue de ma collection, parce que le bleu est sa couleur préférée.
- ⊙ Des M&M's, parce qu'elle avait postillonné sur les M&M's de mon gâteau d'anniversaire.
- ⊙ Mon bracelet à grigris, parce qu'elle le regarde toujours avec envie.
- ⊙ Un bout de dentelle des chaussettes que je lui avais empruntées pour mon anniversaire en oubliant de la prévenir.

- Le vernis à ongles rose pailleté qu'elle a essayé de me chiper.
- Un bourdon mort – je ne sais pas pourquoi.
- Une boucle de mes cheveux, parce que c'est à cause de nos cheveux que les ennuis ont commencé.

Ensuite j'ai attrapé le chapeau favori de ma mère, un flacon de colle et la lotion après-rasage de mon père, que Margaret adore et que j'aime vaporiser sur nous parce qu'elle diffuse un parfum divin.

J'ai collé, collé, collé, vaporisé, vaporisé, vaporisé, et souri. Puis je suis sortie en courant de l'appartement et devinez qui j'ai rencontré dans l'ascenseur?

Margaret! Sans Amanda-Lee!

– Tiens, j'ai un cadeau pour toi.

On a prononcé exactement la même phrase en même temps, ce que pourtant on ne s'était jamais entraînées à faire.

Je lui ai tendu le chapeau, elle m'a tendu un sac. À l'intérieur, il y avait une boîte neuve de tubes de peinture pailletée sur laquelle personne ne s'était assis.

– Je l'ai achetée au centre commercial, a expliqué Margaret.

Puis, sans qu'un adulte l'y oblige, elle m'a demandé pardon d'avoir été aussi méchante le jour de mon anniversaire.

– Et moi je te demande pardon pour tes cheveux.

– C'est pas grave, avons-nous lancé dans un ensemble parfait.

Margaret a ajouté :

— Il faut que j'y aille. On se verra ce soir.

— Oui. À ce soir. Euh… qu'est-ce qu'il
y a ce soir ?

– Tes parents nous ont invités.
– Ah, oui. Bien sûr.
En réalité, je n'en savais rien.

Ouh là. Si mes parents invitaient des gens sans me prévenir, il s'agissait donc d'une surprise-partie. On organise des surprises-parties pour fêter les anniversaires ou les départs.

Or ce n'était pas mon anniversaire.

DIMANCHE

Une surprise parfaite

Je suis retournée en courant à l'appartement. Mes parents étaient dans leur chambre où ma mère téléphonait.

– C'est bien ça, disait-elle. Un gâteau au chocolat recouvert d'un glaçage à la vanille. Avec une banderole en pâte d'amande rouge sur laquelle vous écrirez : « Au revoir et bon débarras ! »

– Épelle son prénom pour qu'il n'y ait pas d'erreur, a conseillé mon père.

Ma mère a épelé C-L-É-M-E-N-T-I-N-E, puis elle a précisé qu'elle passerait le chercher bientôt.

Ouh là ! Il ne me restait plus très longtemps pour convaincre mes parents de me garder.

J'ai traversé le salon en annonçant d'une voix déterminée, comme si j'avais l'habitude de dire des choses pareilles :

– Je crois que je vais nettoyer ma chambre cet après-midi. Oui, c'est décidé, je me lance dans un grand ménage.

Mon père m'a dévisagée, perplexe, avant de se replonger dans son journal. Ma mère m'a jeté un coup d'œil intrigué en passant devant ma porte pour aller aider mon frère à finir son puzzle.

– Quand j'aurai terminé, ai-je repris, je nettoierai aussi la chambre de Radis. Et après, j'attaquerai mes devoirs. Si vous avez besoin d'aide pour quoi que ce soit, résoudre de nouveaux problèmes du genre de la Grande Guerre des Pigeons, vous savez où me trouver.

– D'accord, Clémentine, ont répondu mes parents d'une seule voix.

Il était probablement trop tard pour qu'ils changent d'avis.

Mais, juste au cas où je pourrais encore me rattraper, j'ai embarqué un flacon de lave-tout et un rouleau d'essuie-tout – parce que même si je n'avais jamais fait le ménage dans ma chambre c'était un bon début.

Sauf que j'ignorais par quoi continuer. Je voulais que ma chambre ressemble à une photo de magazine, comme celle de Margaret, sans avoir la moindre idée de la manière de procéder.

Le problème, c'est qu'elle me paraissait déjà impeccable.

Soudain j'ai eu une idée pour faire plaisir à mes parents : j'allais ranger le Trou Noir. J'ai extirpé les objets qui se cachaient sous mon lit et je les ai posés sur ma couette. Vous ne pouvez pas imaginer tout ce que j'ai découvert !

⊙ Quatre chaussures,
⊙ trois brosses,
⊙ un nombre incalculable de barrettes,

- ⊙ des chaussettes,
- ⊙ une vieille guimauve écrasée reçue à Pâques,
- ⊙ le pion chapeau haut-de-forme du Monopoly que je cherchais depuis deux ans,
- ⊙ un nez de Monsieur Patate,
- ⊙ trois livres empruntés à la bibliothèque,
- ⊙ la fiche de lecture à rendre lundi dernier,
- ⊙ mes phrases sur la planète Saturne à rendre vendredi,
- ⊙ encore des chaussettes,
- ⊙ un masque d'Halloween,
- ⊙ la jupe que je disais avoir perdue,
- ⊙ deux lampes torches,
- ⊙ une moufle,
- ⊙ un trapèze en plastique vert,
- ⊙ une boule à neige « Bienvenue chez les alligators »,
- ⊙ la souris en caoutchouc préférée de Polka,

- la moitié d'un bouton,
- le DVD du cours de yoga de maman,
- le grand tournevis de papa,
- quelques pièces jaunes,
- et encore des chaussettes.

J'ai tout empilé sur mon lit. Puis j'ai décidé de nettoyer chaque objet en l'aspergeant de produit lave-tout et en le frottant avec de l'essuie-tout.

J'ai aspergé et frotté tout l'après-midi.
Le soir, rien ne semblait plus propre
qu'avant. Juste plus mouillé. Et cou-
vert de peluches de papier détrempé.
Soudain, mes larmes se sont mises à
couler sans vouloir s'arrêter.

Mes parents ont choisi ce moment
pour entrer dans ma chambre.

         – Je me suis juste envoyé du
         lave-tout dans l'œil, ai-je pré-
           tendu. J'ai bientôt fini
             mon super grand
              ménage.

Mais même moi je n'y croyais plus.

Tout en essuyant mes larmes pour voir à quel point ils étaient fâchés contre moi, j'ai ajouté :

– Je suis désolée, vraiment désolée ! Je ne serai plus jamais comme ça !

– Comme quoi, Clémentine ? a demandé maman. Qu'est-ce que tu racontes ?

– Comme tout ce que vous ne voulez pas que je sois. Je ne parlerai plus autant, je nettoierai ma chambre pour de bon, je Réfléchirai-Aux-Conséquences avant de faire des bêtises. De toute façon, je n'en ferai plus. Je ne perdrai plus mes devoirs ni rien d'autre et je resterai si tranquille que vous penserez : « Hé, c'est Clémentine ou une statue de Clémentine ? » Je ne rapporterai plus jamais de mot du maître disant : « Clémentine était très dissipée aujourd'hui. » À la place, je rapporterai des centaines de mots qui diront :

« Waouh, Clémentine est drôlement attentive à l'école ! » Le dessous de mon lit ressemblera à celui des gens normaux, j'arrêterai de toucher à tout, je reprendrai les cours de piano et cette fois je resterai assise sur le tabouret et...

Comme je manquais d'air, je me suis arrêtée une seconde pour respirer un grand coup avant de poursuivre :

– Je ne serai plus comme avant, je serai facile, moi aussi, aussi facile que Céleri. Donc vous n'avez pas besoin de vous débarrasser de moi. Je suis au courant que vous voulez le faire, je vous ai entendus dire : « Un seul nous suffit », et commander un gâteau avec l'inscription « Au revoir et bon débarras, Clémentine ! ».

Mes parents se sont précipités vers moi et m'ont serrée très fort dans leurs bras, me transformant en un véritable sandwich. Puis ils m'ont prise par la main et emmenée dans la salle à manger.

Margaret et sa mère étaient déjà là, ainsi que Mitchell, avec mon frère perché sur ses épaules. Tous me regardaient. Je me suis frotté la figure pour être sûre qu'il n'y restait plus une larme, même si je me fichais de ce que Mitchell pouvait penser puisqu'il n'était pas mon petit copain. Alors Artichaut a hurlé :

– Prise !

Et tout le monde a repris en chœur :

– Surprise !

Ils se sont écartés pour me laisser passer. Derrière eux, sur la table, il y avait bien un gâteau.

Sauf que l'inscription en pâte d'amande ne disait pas :

« Au revoir et bon débarras, Clémentine ! »

mais juste :

« *Au revoir et bon débarras !* »

Et sur le gâteau, il était écrit :

« *Merci Clémentine, l'héroïne
de la Grande Guerre des Pigeons !* »

Et des millions de pigeons en sucre glace voletaient tout autour.

— Mais pourquoi « Un seul nous suffit » ? Qu'est-ce que ça signifiait ?
Mes parents ont souri jusqu'aux oreilles.
— Ne bouge pas, Clém, m'a dit papa.

Il est allé dans l'entrée d'où il est revenu avec une grande boîte.

– Tiens, tu peux l'ouvrir, c'est pour toi.

J'ai ouvert la boîte. Et vous savez ce qu'il y avait à l'intérieur?

Un chaton! Je n'invente rien.

– Il n'en restait qu'un, a expliqué papa. Voilà pourquoi on a dit : « Un seul nous suffit. »

J'ai sorti le petit chat de sa boîte pour l'emporter dans la salle de bains et lui trouver un nom. J'ai repéré le plus exquis de tous et j'ai calé le chaton contre ma joue pour le lui murmurer.

Aussitôt il s'est mis à ronronner, ce qui a comblé mes oreilles de bonheur. Elles n'avaient pas entendu d'aussi doux ronronnements depuis la mort de Polka…

Quand je suis retournée dans la salle à manger, j'ai bien vu que Margaret mourait d'envie de toucher mon petit chat et qu'elle ordonnait à ses mains de rester tranquilles parce que c'était mon petit chat à moi et qu'il était tout nouveau.

J'ai failli lui lancer : « Tu n'as pas le droit de toucher à mon petit chat parce que c'est la règle. » Mais je me suis retenue. À la place, ma bouche s'est ouverte pour laisser tomber ces mots :

– Tu veux caresser Hydrophile, Margaret ?

Ce qui m'a drôlement étonnée, croyez-moi.

– Nous savons qu'il ne remplacera pas Polka… a commencé maman.

– D'ailleurs, il ne lui ressemble pas… a continué papa.

Et moi, j'ai répondu :

– Je sais. Il est parfait.

J'ai levé les yeux et je me suis rendu compte que oui, tout était parfait autour de moi :

- ⊙ ma mère dans sa salopette,
- ⊙ mon clown de père,
- ⊙ mon frère qui n'avait pas un nom de fruit,
- ⊙ Margaret avec son chapeau de Margaret,
- ⊙ Mitchell qui découpait le gâteau Clémentine-Héroïne.
- ⊙ mon appartement qui ne ressemblait pas à une photo de magazine.

Aussi, quand la mère de Margaret a annoncé : « Demain après l'école, les filles, je vous emmène chez mon coiffeur pour qu'il arrange un peu vos cheveux », j'ai failli m'écrier : « Non, merci! »

Parce que je ne voulais rien changer.

Mais comme elle me souriait et qu'elle paraissait tellement parfaite elle aussi, je lui ai rendu son sourire en m'exclamant :

– Génial !

Puis je me suis montrée extrêmement polie puisque j'ai servi une part de gâteau à tout le monde avant de me servir la mienne.

Bon, d'accord, moi, j'en ai pris deux.

Retrouvez Clémentine,
sa famille et ses amis dans

Clémentine a tous les talents
Clémentine et la lettre secrète
Clémentine notre amie à tous
Une surprise pour Clémentine

Retrouvez la collection
Rageot Romans
sur le site www.rageot.fr

RAGEOT s'engage pour
l'environnement en réduisant
l'empreinte carbone de ses livres.
Celle de cet exemplaire est de :
496 g éq. CO_2
Rendez-vous sur
www.rageot-durable.fr

PAPIER À BASE DE
FIBRES CERTIFIÉES

Achevé d'imprimer en France en avril 2014
sur les presses de l'imprimerie Hérissey
Couverture imprimée par Boutaux (28)
Dépôt légal : mars 2012
N° d'édition : 6079 - 03
N° d'impression : 122123